À PETITS PETONS

LA CHÈVRE BISCORNUE

Une histoire contée par
Christine Kieffer

avec le concours littéraire de
Céline Murcier

illustrée par
Ronan Badel

Didier Jeunesse

Il était une fois un pays,
dans ce pays il y avait une forêt,
dans cette forêt il y avait un chemin,
et sur ce chemin un lapin.

Un lapin pressé de rentrer chez lui
et de se coucher dans son lit.
Il bâille :
- Ahhhh ! Vite mon lit !

Quand Lapin arrive à l'entrée de son terrier,
un bruit bizarre le fait sursauter.
Dedans, y'a quelque chose qui bouge,
quelque chose avec deux yeux rouges.

- Y'a quelqu'un ? dit Lapin.

Une voix terrible répond :

Je suis la chèvre Biscornue,
et j'ai deux cornes très très pointues.
Si tu t'approches, tant pis pour toi,
tu finiras tout raplapla !

Lapin a peur, il appelle Coq, son voisin :
- *Coq, viens m'aider, il y a une bête dans mon terrier
et je ne peux pas aller me coucher.*
- *Attends,* dit Coq, *j'vais la chasser !*

Les voilà tous les deux à l'entrée.
Coq claironne :
- *Cocorico ! Sors de là !*
T'es pas chez toi !

La voix terrible répond :

Je suis la chèvre Biscornue,
et j'ai deux cornes très très pointues.
Si tu t'approches, tant pis pour toi,
tu finiras tout raplapla !

Coq a peur et Lapin pleure.
Sur ces entrefaites, Renard pointe sa tête.
- *Renard !* dit Coq, *toi t'es malin ! Viens nous aider.*
Lapin ne peut pas aller se coucher !
Il y a une bête dans son terrier !

- *Allons-y !* dit Renard.

Les voilà tous les trois à l'entrée.

Renard chantonne :
- Ohé la bébête !
Sors de là et j'te donnerai des cacahuètes !

La voix terrible répond :

Je suis la chèvre Biscornue,
et j'ai deux cornes très très pointues.
Si tu t'approches, tant pis pour toi,
tu finiras tout raplapla !

Renard a peur,
Coq a peur
et Lapin pleure.

Ours, le costaud du coin, passe par là.
- *Une affreuse bête ? Où ça, où ça ?*
dit Ours en montrant ses gros biscotos :
- *Laissez-moi faire ! Poussez-vous, et regardez-moi !*

Les voilà tous les quatre à l'entrée.
Ours hurle :

- Ouste la bête !
Si dans trois secondes t'es pas sortie,
je te transforme en spaghettis !

La voix terrible répond :

Je suis la chèvre Biscornue,
et j'ai deux cornes très très pointues.
Si tu t'approches, tant pis pour toi,
tu finiras tout raplapla !

Ours ne fait plus le fier-à-bras : il a peur.
Renard a peur,
Coq a peur
et Lapin pleure,
pleure de plus en plus fort.
- *Mon lit !* Je veux rentrer chez moi.

Tout à coup, bzzz !
Abeille est là, sur le chemin.

- Bonsoir Lapin, bonsoir les gars,
qu'est-ce qui ne va pas ?

- Il y a une bête dans mon terrier,
personne n'arrive à la chasser
et je n'peux pas aller
m'coucher,
dit Lapin.

- Moi, je peux essayer ?
demande Abeille.

Coq, Renard et Ours
rigolent.

Les voilà tous les cinq à l'entrée.
Abeille prend son élan
et fonce tout droit sur Biscornue.

Biscornue crie :
- *Drapeau blanc, je me rends !*
Elle bondit hors du terrier et disparaît dans la forêt.

- Merci Abeille, dit Lapin,
avec un sourire grand jusqu'aux oreille.
- De rien Lapin, répond Abeille,
tout le plaisir était pour moi !
Maintenant tu vas pouvoir
aller te coucher !

- J'ai plus sommeil, entrez, entrez !
Je vous invite tous à manger ! dit Lapin.

Coq, Renard, Ours, Abeille
et Lapin sont entrés.
Ils ont passé une bonne soirée.

Il paraît que la lumière est restée allumée toute la nuit !
C'est ce qu'on dit !